Les satellites

L'édition originale de cet ouvrage
a paru sous le titre: *Satellites*

Adaptation française de Jeannie Henno

D/1984/0195/88
ISBN 2-7130-0677-5
(édition originale: ISBN 86313 052 6)

Exclusivité au Canada:
Les Editions Ecole Active
2244, rue Rouen,
Montréal H2K 1L5

Dépôts légaux:
1er trimestre 1985
Bibliothèque nationale du Québec
Bibliothèque nationale du Canada
ISBN 2-89069-110-1

Imprimé en Belgique

MINI-DOCUMENTATION

Les satellites

Illustrations de

Mike Saunders et Andrew Farmer

Editions Gamma/Les Editions Ecole Active
Paris · Tournai · Montréal

Sais-tu ce que représente cette image ?
Un satellite en orbite autour de la Terre, c'est-à-dire qui tourne dans l'espace autour de la Terre.
Environ 300 satellites de ce genre sont sur orbite.

La Lune tourne aussi autour de la Terre.
C'est un satellite naturel de la Terre.
Les satellites artificiels envoyés dans l'espace nous rendent de nombreux services.

Certains satellites sont lancés dans l'espace à partir de la Terre, au moyen de fusées. Ces fusées ont trois étages. Chaque étage propulse le satellite toujours plus loin.

D'autres satellites sont lancés à partir de l'espace. Ils y sont transportés dans la soute d'une navette spatiale. Pour se mettre en orbite, le satellite doit avoir une vitesse bien précise.

Une fois placé sur orbite, le satellite y restera pendant plusieurs années. De petits moteurs le remettent sur sa trajectoire s'il s'en écarte.

Les carrés sur les “ailes” sont des panneaux solaires. Ils captent la lumière du Soleil et transforment son énergie en électricité.

Ce satellite en orbite paraît stationnaire au-dessus d'un endroit parce qu'il tourne, à 35 900 km au-dessus de l'Equateur, à la même vitesse et dans le même sens que la Terre.

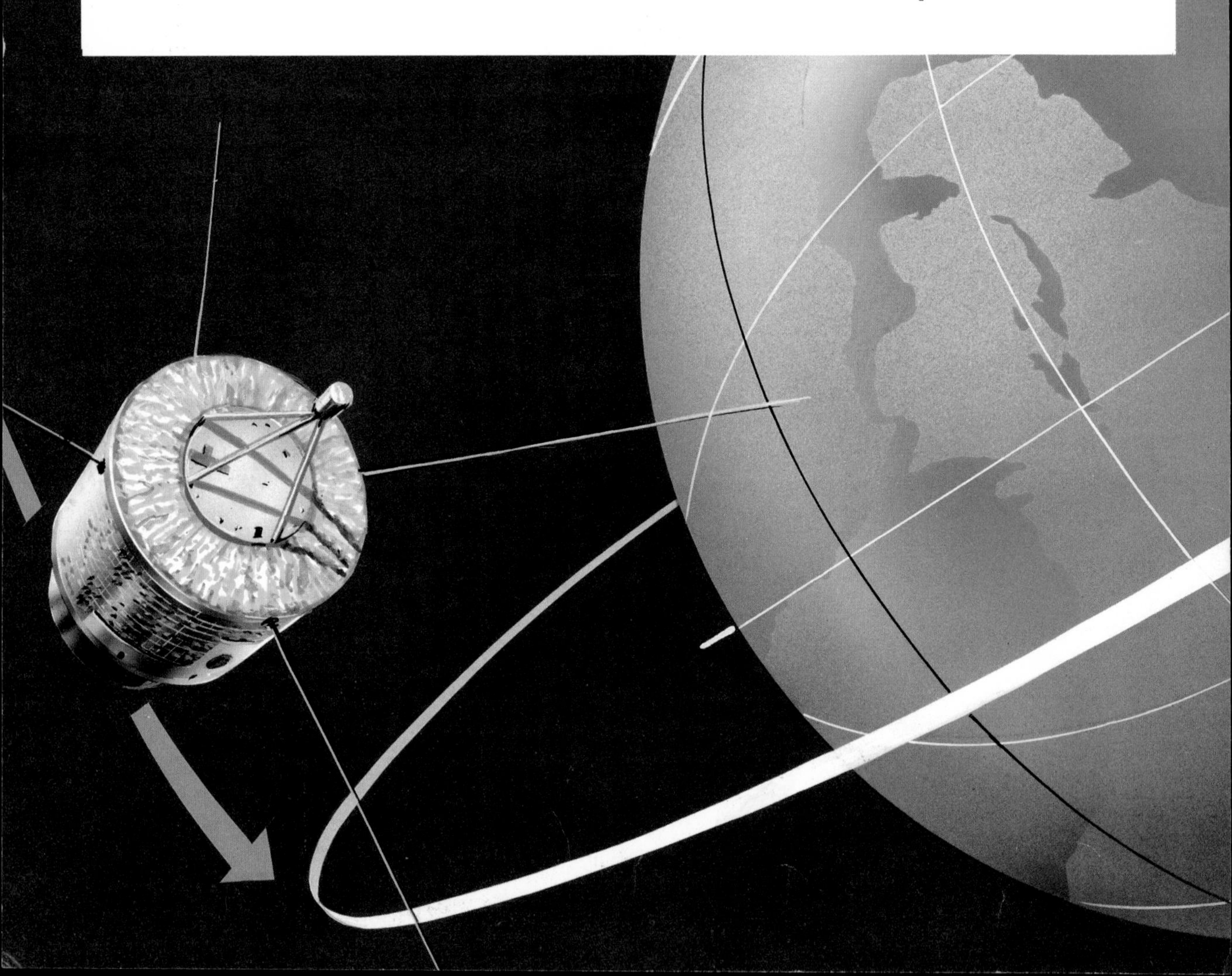

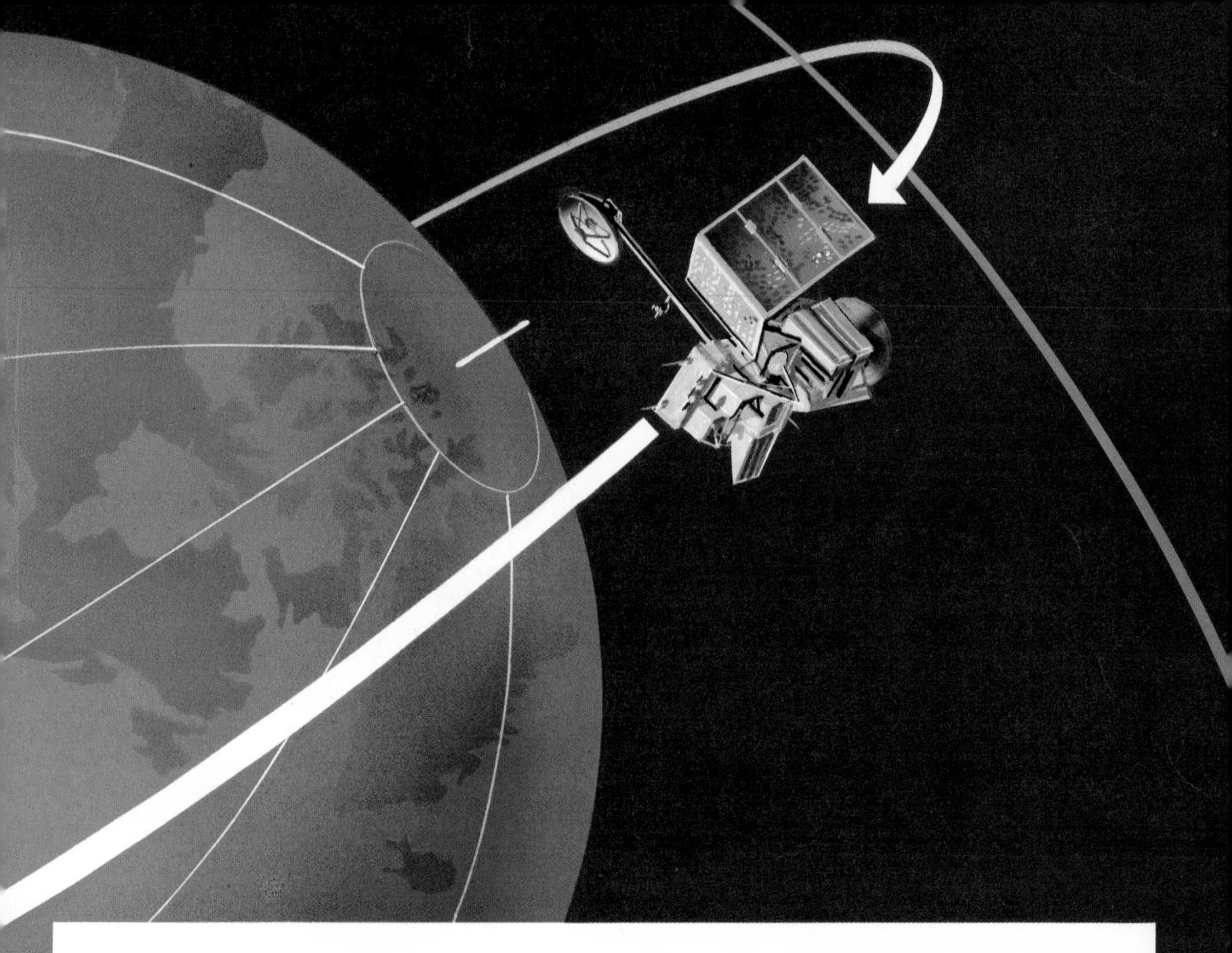

D'autres satellites sont moins éloignés de la Terre. L'orbite de celui-ci passe au-dessus des pôles. Comme la Terre tourne sous lui, il survole successivement toutes les parties de la Terre.

Cette photo a été prise par un satellite météorologique en orbite polaire à 900 km au-dessus de la Terre. Pour parcourir une orbite complète, ce satellite ne met que 100 minutes.

Le voici en train de photographier un cyclone. Cinq satellites météorologiques, appartenant à différents pays, tournent sur l'orbite équatoriale. Leurs avertissements permettent de prendre à temps des mesures de sécurité et de sauver des vies.

Tu peux suivre à la TV un match de tennis qui se déroule de l'autre côté de la Terre. Comprends-tu comment les signaux sont relayés par satellite d'un continent à l'autre ?

Voici le satellite Comsat. Ce satellite de télécommunications renvoie des signaux de
télévision et de téléphone d'un point de la Terre
à un autre. Il peut relayer 12 000 appels
téléphoniques en même temps.

Grâce aux signaux émis par les satellites de navigation, les navires peuvent connaître leur position exacte. Ces satellites leur transmettent aussi les informations des stations météorologiques.

Ces satellites peuvent aussi aider un navire – ou un avion – en transmettant les signaux de détresse aux services de sauvetage.

Les photos prises par les satellites – qui nous parviennent sous forme de signaux radio – permettent de réaliser des cartes très précises. Cette photo prise au moyen de rayons infrarouges permet de voir si les cultures sont saines.

Les photos prises par radar indiquent
la présence de l'eau.
Cette photo montre où il vient de pleuvoir.

Quand un satellite tombe en panne dans l'espace, il peut être réparé sur place par des astronautes, au cours d'une mission de la navette spatiale.

Le satellite “Solar Max” a eu un problème d’énergie. Les astronautes ont pu le réparer, et il fut bientôt remis sur orbite.

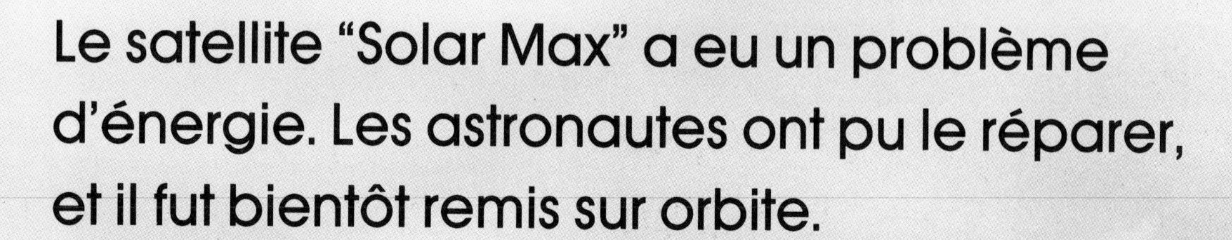

Ce satellite est un observatoire qui envoie des renseignements sur des étoiles très éloignées. Il capte des rayons qui ne parviendraient pas à traverser l'atmosphère terrestre.

Le télescope spatial sera lancé en 1985.
Placé bien au-dessus de l'atmosphère terrestre,
il permettra d'explorer l'espace de façon
beaucoup plus approfondie.

Nos besoins en énergie augmentent sans cesse. Dans l'avenir, les panneaux solaires de satellites géants pourraient envoyer sur terre l'énergie inépuisable du Soleil.

Tu l'as vu: les satellites sont déjà très utiles dans la vie quotidienne. Ils font partie de l'ère spatiale qui ne fait que commencer.

Peux-tu répondre ?

Comment cette fusée emmène-t-elle un satellite dans l'espace ?

Comment lance-t-on encore un satellite ?

A quelle vitesse faut-il lancer un satellite pour qu'il soit placé sur orbite ?
A une vitesse de 28 000 km à l'heure.

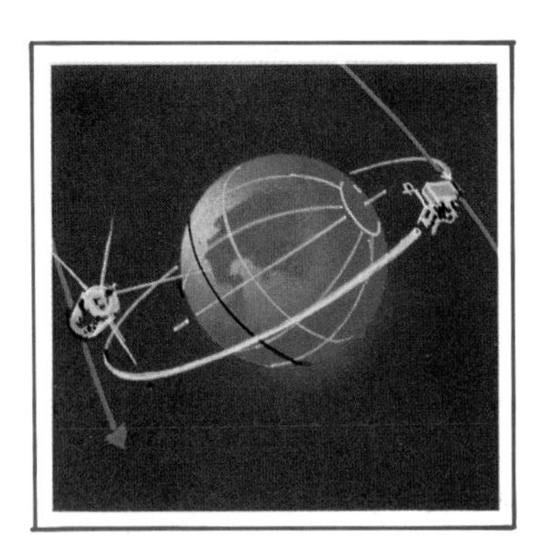

Combien de temps mettra un satellite "stationnaire" pour tourner autour de la Terre ?
24 heures, soit le temps que met la Terre pour tourner sur elle-même.

Qu'est-ce que l'Equateur ?
Une ligne imaginaire qui divise horizontalement la Terre en deux parties égales.

Sais-tu pourquoi ce satellite est appelé Comsat ?
Comsat est l'abréviation de satellite de télécommunications.

A quoi sert ce satellite ?

Comment les services de sauvetage savent-ils que le navire est en détresse ?

De la Terre, peut-on voir les satellites ?
Oui; par une nuit sans nuage, tu peux voir des lumières tremblotantes qui se déplacent dans le ciel.

Combien de temps un satellite reste-t-il en orbite ?
Les satellites qui sont très éloignés de la Terre peuvent rester 100 ans, ou 1 000 ans, en orbite. Les satellites plus proches peuvent retomber après 5 ans. Ils brûlent alors en rentrant dans l'atmosphère terrestre.

Que fait ce satellite ?

Pourquoi un télescope spatial permet-il de mieux observer les étoiles ?

Index